PARA MI AMADO TEO ♡

EL ZORRO CHULETA

SOL UNDURRAGA Y MUJER GALLINA

cata
plum
LIBROS

—¿Por qué todos esos conejos me miran así? –se preguntaba Chuleta–.
No sé cómo hacerles entender que no soy un zorro comeconejos.

Chuleta era distinto a los otros zorros.
Prefería una crujiente sandía que un bocado de conejo.

Aunque no se puede negar que muy de vez en cuando se portaba como zorro.

Un día, Chuleta escuchó murmurar a los conejos que las mejores fiestas eran las del Valle de los Vegetarianos. Y no había nada que le gustara más a este zorro que los libros, las sandías y las fiestas.

Como buen fiestero emprendió camino mientras una pregunta
le daba vueltas en la cabeza:
—¿Creerán en el valle que soy un zorro comegallinas?

Llevaba días andando, cuando desde lejos vio una enorme balsa.
De inmediato supo que no podía estar en otro lugar
que no fuera el Valle de los Vegetarianos.

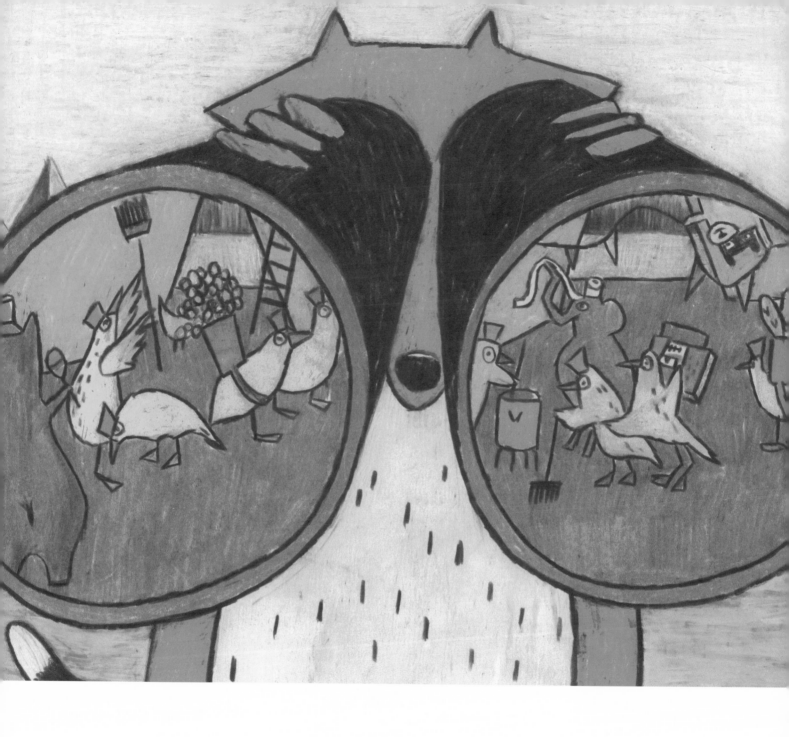

En la balsa había un montón de animales que,
al parecer, lo estaban pasando muy bien.

Chuleta podía ver el six-pack de gallinas, a Jan, el hipopótamo,
al mono Teo, a Julia, la delfina, a los ratones Jonson, Renatan y Rockyfeler,

a Kramer, el mapache, a Welt, el elefante,
a Marroki, la panda, y Sonja, la leona, organizando la fiesta.

Un zorro no podría llegar así como así a un valle lleno de animales.

—No quiero matar del susto a los conejos
ni a las gallinas ni mucho menos a los ratones.
Entonces comenzó a trabajar en un plan.

El primero no lo convenció.

Ni el segundo,

ni el tercero.

Chuleta necesitaba más tiempo para un nuevo intento.

No fue fácil decidir cuál sería el mejor plan.

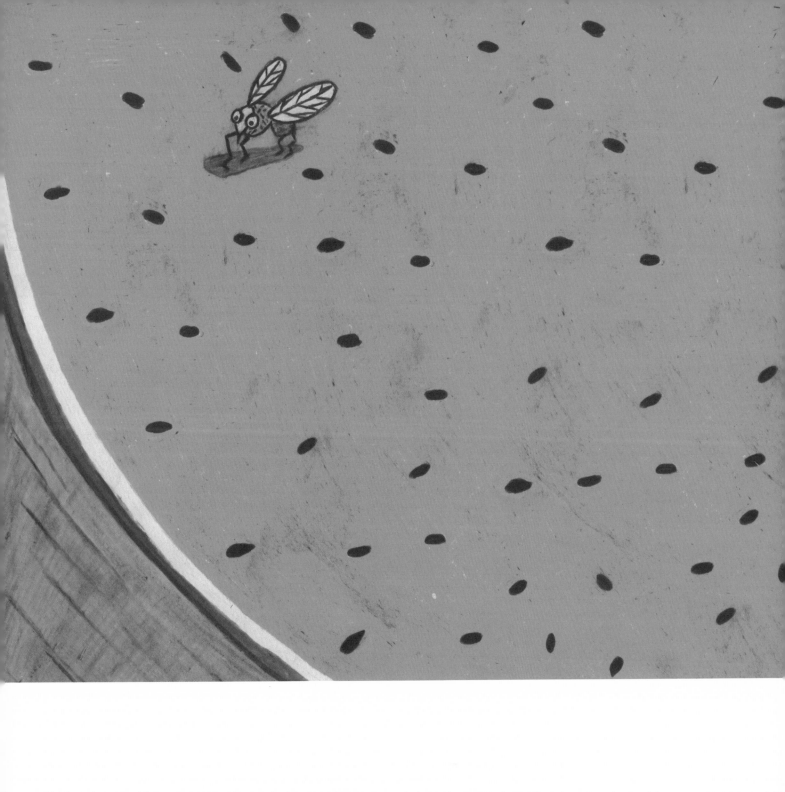

Sabía que esta vez no fallaría.

Grande fue la sorpresa que se llevó Chuleta.

Jamás se habría imaginado un recibimiento como ese.
Los vegetarianos estaban felices con el cabeza de sandía. . .

Hasta que ¡ZAS!, el mono Teo hizo una de las suyas
y todos supieron quién era el visitante.

Su instinto de zorro había fallado.
En el Valle de los Vegetarianos todos eran bienvenidos.

cataplum
LIBROS

Primera edición marzo de 2020
© Cataplum Libros, 2020
© Sol Undurraga, 2020

Dirección editorial: María Fernanda Paz-Castillo
Dirección de arte: Ana Palmero Cáceres

ISBN 978-958-52412-6-8
Hecho el Depósito Legal
Impresión: Panamericana Formas e Impresos SA
Impreso en Colombia-Printed in Colombia

Cataplum Libros
Carrera 18 N⁰ 39B-69, Bogotá
(57) 315 3520207 · cataplum@cataplumlibros.com
www.cataplumlibros.com

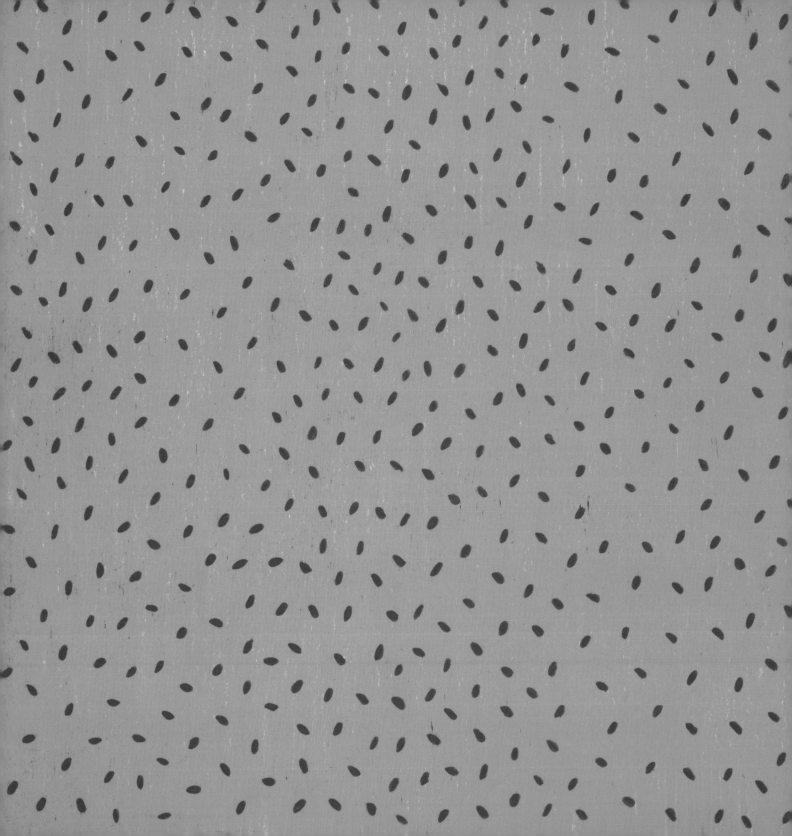